Título original: 어디에 쓸까?
(What can we do with this?)
Texto: JO Seung Hyeon
Ilustraciones: IN Kang, HAE Yeong
© KWAK Youngjick

D.R. © CIDCLI, S.C. edición en español, 2012
Av. México 145-601, col. Del Carmen,
Coyoacán, C.P. 04100, México, D.F.
www.cidcli.com.mx

Traducción y adaptación de textos al español: Alonso Núñez

Primera edición en coreano: 2009
Primera edición en español: 2012

ISBN: 978-607-7749-44-8

Impreso en México / *Printed in Mexico*

¿Inventos a la basura?
¡Qué locura!

TEXTO: **JO Seung Hyeon** • ILUSTRACIONES: **IN Kang, HAE Yeong**
ADAPTACIÓN DE TEXTOS: **Alonso Núñez**

Y yo Tulio, el inventor y eminente profesor.

¡Bienvenidos! Yo soy Julio.

Laboratorio del Prof. Tulio Sabelotodo

Brincacharcos

Es fácil moverse
con ruedas o llantas.
Y fácil mover
las cosas pesadas.
¡Qué rápido llegas
si vas sobre ruedas!

Mas dudo que puedas
andar en tu bici
si no tiene ruedas.

Y un refri, también,
poniéndole ruedas
lo puedes mover.

Si la silla tiene ruedas,
vas sentado adonde quieras.

Con ruedas, esta maleta
la mueves como un atleta.

Y este pesado camión,
girando todas sus llantas,
va como una exhalación...

¡¡¡Fum!!!

El engrane, cuando gira,
pasa fuerza al otro engrane.
Este engrane hace lo mismo
y se mueve el mecanismo.
Cuando giran los engranes
funcionan máquinas chicas,
funcionan máquinas grandes.

Los engranes de un reloj
al mover las manecillas
nos indican qué horas son.

Tic, tac,
tic, tac

Al girar la manivela
(o el manubrio, hablando
giran todos los engranes
del mecánico minino.

¡Miau!, digo, ¡guau!

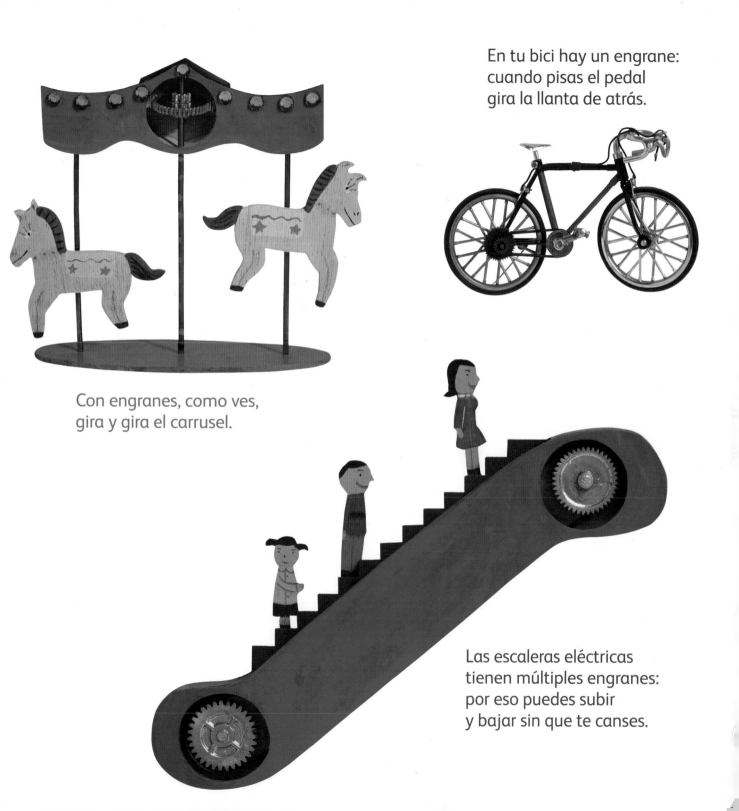

En tu bici hay un engrane:
cuando pisas el pedal
gira la llanta de atrás.

Con engranes, como ves,
gira y gira el carrusel.

Las escaleras eléctricas
tienen múltiples engranes:
por eso puedes subir
y bajar sin que te canses.

Si están las hélices
en movimiento
producen ondas,
producen viento.

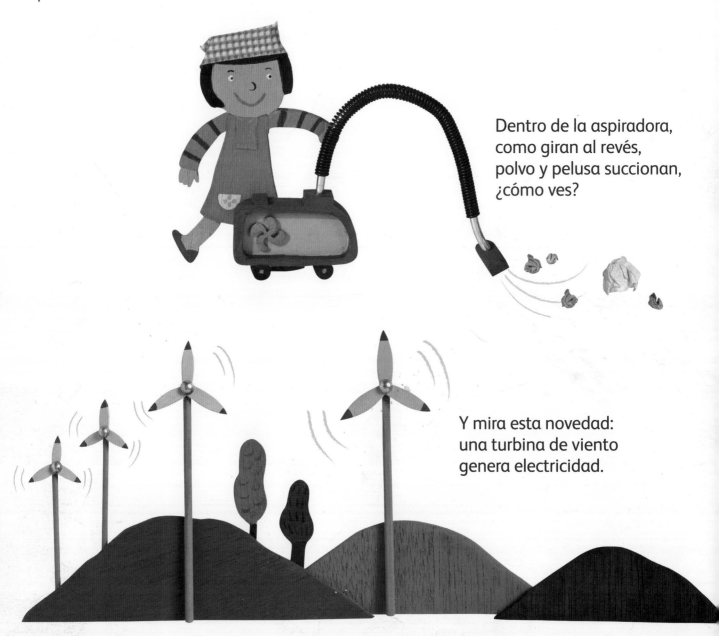

Dentro de la aspiradora,
como giran al revés,
polvo y pelusa succionan,
¿cómo ves?

Y mira esta novedad:
una turbina de viento
genera electricidad.

Hay hélices que refrescan...
Cuando hace mucho calor
enciendo el ventilador.*

Ahhh...

Si giran rápido, rápido,
el helicóptero vuela
alto,
    más alto,
        más alto...

Flop,
flop,
flop...

Y si giran en el mar,
nuestro buque submarino
bajo el agua ha de avanzar.

Las hélices de los ventiladores también se llaman aspas.

Así pues…

…si lo estiras y lo estiras,
dando un fuerte latigazo
a su forma volverá.

…si lo aprietas y lo aprietas,
dando un salto (o un respingo)
a su forma volverá.

¡Poing!

¡Poing!

Y hasta deporte
haces aquí
con los resortes
del trampolín.

¡Ajúa!

En la báscula pongamos
dos manzanas a pesar:
el resorte al ir bajando
una aguja hará girar.
¿Y qué indicará la aguja?
¡Cuánto pesan ambas frutas!

2 manzanas

Con un resorte debajo,
el caballo y el vaquero
se mueven de arriba abajo.

200 gramos

Al apretar el botón
del bolígrafo (o la pluma)
un resorte hará salir
la bolita por la punta.

Resortes, muchos resortes
tiene por dentro el colchón:
por eso no se deforma
aunque brinques un montón.

¡Hola!

¡Poing, poing, poing!

Los cierres no solo cierran:
los cierres abren también.

Si los vemos en detalle,
hay dos hileras de dientes:
estos dientes al juntarse
cierran todo fuertemente.
(Un cursor hace embonar
cada diente en su lugar).
Y recuerda algo importante:
abren, cierran al instante.

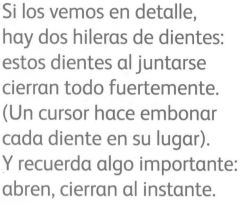

Cursor

Al subir la cremallera
de la tienda de campaña,
los bichos se quedan fuera.

Por los cierres, cosas sacas
de mochilas y petacas.
Por los cierres, cosas metes
en aquéllas fácilmente.

Al subir
la crema…
¿qué?

Crema-llera, cremallera,
que así se llama tambié

¡Ris!

Atención, Julio, atención:
con cierre, los pantalones
te los quitas, te los pones
sin mayor complicación.

Si sube el cierre mamá,
esta bota de gamuza
a su pierna ajustará.

Si baja el cierre mamá,
esta bota de gamuza
de su pierna quitará.

¡Ras!

¡Ris!

Brrrrr.
Que no te dé el aire frío:
¡sube el cierre del abrigo!

Aunque parezcan chatarra
o cacharros, es un hecho:
si los usas sabiamente
siguen siendo de provecho.

Y tantos inventos buenos
¿no vas a tirar, verdad?

¿Inventos a la basura?
¡Qué locura!
¡No, jamás!

Qué limpio ha quedado todo.
Pero algo traman aún
el niño y Sabelotodo…

¡Cuántos nombres!

¿Sabes cómo se llaman estos inventos
en otros países de habla española?

Llanta: neumático, goma, caucho
Refrigerador: frigorífico, nevera
Carrusel: tiovivo
Camión: autobús, guagua, ómnibus, micro
Engrane: rueda dentada
Cierre: cremallera, zíper
Resorte: muelle
Pluma: bolígrafo, boli, birome, esfero, esferográfico
Foco: bombilla, bombillo, ampolleta, bombita

¿Inventos
a la basura?
¡Qué locura!

se imprimió en los talleres de
Editorial Impresora Apolo, S. A. de C. V.
Centeno 150-6, Col. Granjas Esmeralda
C. P. 09810 México, D. F.,
en el mes de abril de 2012.
El tiraje fue de 3 000 ejemplares.